新潮文庫

# ほんのきろく

名前

新潮社版

11487

# 目次

| | |
|---|---|
| 001 | |
| 002 | |
| 003 | |
| 004 | |
| 005 | |
| 006 | |
| 007 | |
| 008 | |
| 009 | |
| 010 | |
| 011 | |
| 012 | |
| 013 | |
| 014 | |
| 015 | |
| 016 | |
| 017 | |
| 018 | |
| 019 | |
| 020 | |

| | |
|---|---|
| 021 | |
| 022 | |
| 023 | |
| 024 | |
| 025 | |
| 026 | |
| 027 | |
| 028 | |
| 029 | |
| 030 | |
| 031 | |
| 032 | |
| 033 | |
| 034 | |
| 035 | |
| 036 | |
| 037 | |
| 038 | |
| 039 | |
| 040 | |

| | |
|---|---|
| 041 | |
| 042 | |
| 043 | |
| 044 | |
| 045 | |
| 046 | |
| 047 | |
| 048 | |
| 049 | |
| 050 | |
| 051 | |
| 052 | |
| 053 | |
| 054 | |
| 055 | |
| 056 | |
| 057 | |
| 058 | |
| 059 | |
| 060 | |

| | |
|---|---|
| 061 | |
| 062 | |
| 063 | |
| 064 | |
| 065 | |
| 066 | |
| 067 | |
| 068 | |
| 069 | |
| 070 | |
| 071 | |
| 072 | |
| 073 | |
| 074 | |
| 075 | |
| 076 | |
| 077 | |
| 078 | |
| 079 | |
| 080 | |

| | |
|---|---|
| 081 | |
| 082 | |
| 083 | |
| 084 | |
| 085 | |
| 086 | |
| 087 | |
| 088 | |
| 089 | |
| 090 | |
| 091 | |
| 092 | |
| 093 | |
| 094 | |
| 095 | |
| 096 | |
| 097 | |
| 098 | |
| 099 | |
| 100 | |

記入ページ

No.　　書名

恋する本 □

シビレル本 □

考える本 □

ヤバイ本 □

泣ける本 □

著者名

出版社

読了日

評価 ☆☆☆☆☆

感想・あらすじ

No.　　書名

著者名

出版社

読了日

評価　☆☆☆☆☆

恋する本 □

シビレル本 □

考える本 □

ヤバイ本 □

泣ける本 □

感想・あらすじ

No.　書名

恋する本 □

シビレル本 □

考える本 □

ヤバイ本 □

泣ける本 □

著者名

出版社

読了日

評価 ☆☆☆☆☆

感想・あらすじ

No.　　書名

著者名

出版社

読了日

評価　☆☆☆☆☆

感想・あらすじ

No.　　　　　書名

著者名

出版社

読了日

評価　☆☆☆☆☆

感想・あらすじ

恋する本 ☐

シビレル本 ☐

考える本 ☐

ヤバイ本 ☐

泣ける本 ☐

No.　　　　書名

著者名

出版社

読了日

評価　☆☆☆☆☆

感想・あらすじ

恋する本 □

シビレル本 □

考える本 □

ヤバイ本 □

泣ける本 □

No.　　　　　　書名

著者名

出版社

読了日

評価　☆☆☆☆☆

恋する本 □

シビレル本 □

考える本 □

ヤバイ本 □

泣ける本 □

感想・あらすじ

No.　　　　　　書名

著者名

出版社

読了日

評価　☆☆☆☆☆

感想・あらすじ

恋する本 □

シビレル本 □

考える本 □

ヤバイ本 □

泣ける本 □

No.　　　書名

著者名

出版社

読了日

評価 ☆☆☆☆☆

恋する本 □

シビレル本 □

考える本 □

ヤバイ本 □

泣ける本 □

感想・あらすじ

No.　　書名

著者名

出版社

読了日

評価　☆☆☆☆☆

感想・あらすじ

恋する本 □

シビレル本 □

考える本 □

ヤバイ本 □

泣ける本 □

No.　　　　書名

著者名

出版社

読了日

評価　☆☆☆☆☆

感想・あらすじ

□

□

□

□

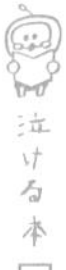

□

No.　　　　　　書名

著者名

出版社

読了日

評価　☆☆☆☆☆

恋する本 □

シビレル本 □

考える本 □

ヤバイ本 □

泣ける本 □

感想・あらすじ

No.　書名

著者名

出版社

読了日

評価 ☆☆☆☆☆

感想・あらすじ

恋する本 □

シビレル本 □

考える本 □

ヤバイ本 □

泣ける本 □

No.　　　　書名

書者名

出版社

読了日

評価　☆☆☆☆☆

恋する本 □

シビレル本 □

考える本 □

ヤバイ本 □

泣ける本 □

感想・あらすじ

No.　　　書名

著者名

出版社

読了日

評価　☆☆☆☆☆

感想・あらすじ

恋する本 □

シビレル本 □

考える本 □

ヤバイ本 □

泣ける本 □

No.　　　　　　書名

恋する本 □

シビレル本 □

考える本 □

ヤバイ本 □

泣ける本 □

著者名

出版社

読了日

評価 ☆☆☆☆☆

感想・あらすじ

No.　　　　　書名

著者名

出版社

読了日

評価 ☆☆☆☆☆

恋する本 □

シビレル本 □

考える本 □

ヤバイ本 □

泣ける本 □

感想・あらすじ

No.　　　　　書名

著者名

出版社

読了日

評価　☆☆☆☆☆

感想・あらすじ

恋する本 □

シビレル本 □

考える本 □

ヤバイ本 □

泣ける本 □

No.　書名

著者名

出版社

読了日

評価 ☆☆☆☆☆

恋する本 □

シビレル本 □

考える本 □

ヤバイ本 □

泣ける本 □

感想・あらすじ

No.　　　　書名

恋する本 □

シビレル本 □

考える本 □

ヤバイ本 □

泣ける本 □

著者名

出版社

読了日

評価 ☆☆☆☆☆

感想・あらすじ

No.　　書名

著者名

出版社

読了日

評価　☆☆☆☆☆

感想・あらすじ

恋する本 □

シビレル本 □

考える本 □

ヤバイ本 □

泣ける本 □

No.　　　　書名

著者名

出版社

読了日

評価　☆☆☆☆☆

感想・あらすじ

恋する本 □

シビレル本 □

考える本 □

ヤバイ本 □

泣ける本 □

No.　　　　書名

著者名

出版社

読了日

評価 ☆☆☆☆☆

感想・あらすじ

恋する本 □

シビレル本 □

考える本 □

ヤバイ本 □

泣ける本 □

No.　　　　書名

恋する本 □

シビレル本 □

考える本 □

ヤバイ本 □

泣ける本 □

著者名

出版社

読了日

評価 ☆☆☆☆☆

感想・あらすじ

No.　　　　書名

著者名

出版社

読了日

評価　☆☆☆☆☆

恋する本 □

シビレル本 □

考える本 □

ヤバイ本 □

泣ける本 □

感想・あらすじ

No.　　　　　　　書名

著者名

出版社

読了日

評価　☆☆☆☆☆

感想・あらすじ

恋する本 □

シビレル本 □

考える本 □

ヤバイ本 □

泣ける本 □

No.　　　　書名

著者名

出版社

読了日

評価　☆☆☆☆☆

恋する本 □

シビレル本 □

感想・あらすじ

考える本 □

ヤバイ本 □

泣ける本 □

No.　　　　　　書名

著者名

出版社

読了日

評価　☆☆☆☆☆

恋する本 □

シビレル本 □

考える本 □

ヤバイ本 □

泣ける本 □

感想・あらすじ

No.　　　　　書名

恋する本 □

シビレル本 □

考える本 □

ヤバイ本 □

泣ける本 □

著者名

出版社

読了日

評価 ☆☆☆☆☆

感想・あらすじ

No.　　　　書名

著者名

出版社

読了日

評価 ☆☆☆☆☆

恋する本 □

シビレル本 □

考える本 □

ヤバイ本 □

泣ける本 □

感想・あらすじ

No.　　　　書名

著者名

出版社

読了日

評価　☆☆☆☆☆

感想・あらすじ

恋する本 □

シビレル本 □

考える本 □

ヤバイ本 □

泣ける本 □

No.　　　　　　書名

恋する本 □

シビレル本 □

考える本 □

ヤバイ本 □

泣ける本 □

著者名

出版社

読了日

評価　☆☆☆☆☆

感想・あらすじ

No. 書名

恋する本 □

シビレル本 □

考える本 □

ヤバイ本 □

泣ける本 □

著者名

出版社

読了日

評価 ☆☆☆☆☆

感想・あらすじ

No.　　書名

著者名

出版社

読了日

評価　☆☆☆☆☆

感想・あらすじ

恋する本 □

シビレル本 □

考える本 □

ヤバイ本 □

泣ける本 □

No.　　書名

著者名

出版社

読了日

評価　☆☆☆☆☆

恋する本 □

シビレル本 □

考える本 □

ヤバイ本 □

泣ける本 □

感想・あらすじ

No.　　書名

著者名

出版社

読了日

評価　☆☆☆☆☆

恋する本 □

シビレル本 □

考える本 □

ヤバイ本 □

泣ける本 □

感想・あらすじ

No.　　　　書名

恋する本 □

シビレル本 □

考える本 □

ヤバイ本 □

泣ける本 □

著者名

出版社

読了日

評価 ☆☆☆☆☆

感想・あらすじ

No.　　書名

著者名

出版社

読了日

評価　☆☆☆☆☆

恋する本 □

シビレル本 □

考える本 □

ヤバイ本 □

泣ける本 □

感想・あらすじ

No.　　　　書名

恋する本 □

シビレル本 □

考える本 □

ヤバイ本 □

泣ける本 □

著者名

出版社

読了日

評価 ☆☆☆☆☆

感想・あらすじ

No.　書名

恋する本 □

著者名

出版社

読了日

評価 ☆☆☆☆☆

シビレル本 □

感想・あらすじ

考える本 □

ヤバイ本 □

泣ける本 □

No.　　　　　書名

著者名

出版社

読了日

評価　☆☆☆☆☆

恋する本 □

シビレル本 □

考える本 □

ヤバイ本 □

泣ける本 □

感想・あらすじ

No.　　　　書名

著者名

出版社

読了日

評価 ☆☆☆☆☆

感想・あらすじ

No.　　書名

著者名

出版社

読了日

評価 ☆☆☆☆☆

感想・あらすじ

恋する本 □

シビレル本 □

考える本 □

ヤバイ本 □

泣ける本 □

No.　　　　　書名

著者名

出版社

読了日

評価　☆☆☆☆☆

□

□

□

□

□

感想・あらすじ

No.　　　　書名

著者名

出版社

読了日

評価　☆☆☆☆☆

恋する本 □

シビレル本 □

考える本 □

ヤバイ本 □

泣ける本 □

感想・あらすじ

No.　　書名

恋する本 □

著者名

出版社

読了日

評価 ☆☆☆☆☆

シビレル本 □

感想・あらすじ

考える本 □

ヤバイ本 □

泣ける本 □

No.　　　　　書名

恋する本 □

シビレル本 □

考える本 □

ヤバイ本 □

泣ける本 □

著者名

出版社

読了日

評価 ☆☆☆☆☆

感想・あらすじ

No.　　　　書名

著者名

出版社

読了日

評価 ☆☆☆☆☆

恋する本 □

シビレル本 □

考える本 □

ヤバイ本 □

泣ける本 □

感想・あらすじ

No.　　　　書名

著者名

出版社

読了日

評価 ☆☆☆☆☆

感想・あらすじ

恋する本 □

シビレル本 □

考える本 □

ヤバイ本 □

泣ける本 □

No.　　　　書名

恋する本 □

著者名

出版社

読了日

評価 ☆☆☆☆☆

シビレル本 □

感想・あらすじ

考える本 □

ヤバイ本 □

泣ける本 □

No.　　　　書名

著者名

出版社

読了日

評価　☆☆☆☆☆

感想・あらすじ

恋する本 □

シビレル本 □

考える本 □

ヤバイ本 □

泣ける本 □

No.　　書名

恋する本 □

シビレル本 □

考える本 □

ヤバイ本 □

泣ける本 □

著者名

出版社

読了日

評価

感想・あらすじ

No.　　　　　書名

著者名

出版社

読了日

評価　☆☆☆☆☆

恋する本 □

シビレル本 □

考える本 □

ヤバイ本 □

泣ける本 □

感想・あらすじ

No.　　　　書名

著者名

出版社

読了日

評価　☆☆☆☆☆

- 恋する本 □
- シビレル本 □
- 考える本 □
- ヤバイ本 □
- 泣ける本 □

感想・あらすじ

No.　　　　書名

恋する本 □

シビレル本 □

考える本 □

ヤバイ本 □

泣ける本 □

著者名

出版社

読了日

評価 ☆☆☆☆☆

感想・あらすじ

No.　　　　書名

著者名

出版社

読了日

評価　☆☆☆☆☆

感想・あらすじ

恋する本 □

シビレル本 □

考える本 □

ヤバイ本 □

泣ける本 □

No.　　　　書名

著者名

出版社

読了日

評価　☆☆☆☆☆

感想・あらすじ

恋する本 □

シビレル本 □

考える本 □

ヤバイ本 □

泣ける本 □

No.　　　　　書名

著者名

出版社

読了日

評価　☆ ☆ ☆ ☆ ☆

恋する本 □

シビレル本 □

考える本 □

ヤバイ本 □

泣ける本 □

感想・あらすじ

No.　　　　書名

恋する本 □

シビレル本 □

考える本 □

ヤバイ本 □

泣ける本 □

著者名

出版社

読了日

評価 ☆☆☆☆☆

感想・あらすじ

No.　　　書名

著者名

出版社

読了日

評価　☆☆☆☆☆

感想・あらすじ

恋する本 ☐

シビレル本 ☐

考える本 ☐

ヤバイ本 ☐

泣ける本 ☐

No.　　　書名

著者名

出版社

読了日

評価　☆☆☆☆☆

感想・あらすじ

恋する本 □

シビレル本 □

考える本 □

ヤバイ本 □

泣ける本 □

No.　　　　書名

著者名

出版社

読了日

評価　☆☆☆☆☆

感想・あらすじ

恋する本 □

シビレル本 □

考える本 □

ヤバイ本 □

泣ける本 □

No.　　　　　　　書名

著者名

出版社

読了日

評価　☆☆☆☆☆

恋する本 □

シビレル本 □

感想・あらすじ

考える本 □

ヤバイ本 □

泣ける本 □

No.　　　　書名

著者名

出版社

読了日

評価　☆☆☆☆☆

感想・あらすじ

恋する本 □

シビレル本 □

考える本 □

ヤバイ本 □

泣ける本 □

No.　　書名

著者名

出版社

読了日

評価　☆☆☆☆☆

感想・あらすじ

恋する本 □

シビレル本 □

考える本 □

ヤバイ本 □

泣ける本 □

No.　　　　書名

著者名

出版社

読了日

評価　☆☆☆☆☆

恋する本 □

シビレル本 □

考える本 □

ヤバイ本 □

泣ける本 □

感想・あらすじ

No.　　書名

著者名

出版社

読了日

評価　☆☆☆☆☆

恋する本 □

シビレル本 □

考える本 □

ヤバイ本 □

泣ける本 □

感想・あらすじ

No.　書名

著者名

出版社

読了日

評価　☆☆☆☆☆

感想・あらすじ

恋する本 □

シビレル本 □

考える本 □

ヤバイ本 □

泣ける本 □

No.　　　　書名

著者名

出版社

読了日

評価　☆☆☆☆☆

感想・あらすじ

恋する本 □

シビレル本 □

考える本 □

ヤバイ本 □

泣ける本 □

No.　　　　書名

著者名

出版社

読了日

評価　☆☆☆☆☆

感想・あらすじ

恋する本 □

シビレル本 □

考える本 □

ヤバイ本 □

泣ける本 □

No.　　　　　書名

恋する本 □

シビレル本 □

考える本 □

ヤバイ本 □

泣ける本 □

著者名

出版社

読了日

評価 ☆☆☆☆☆

感想・あらすじ

No.　　　　書名

恋する本 ☐

著者名

出版社

読了日

評価 ☆☆☆☆☆

シビレル本 ☐

感想・あらすじ

考える本 ☐

ヤバイ本 ☐

泣ける本 ☐

No.　　　　書名

恋する本 □

シビレル本 □

考える本 □

ヤバイ本 □

泣ける本 □

著者名

出版社

読了日

評価 ☆☆☆☆☆

感想・あらすじ

No.　　　　書名

著者名

出版社

読了日

評価　☆☆☆☆☆

恋する本 □

シビレル本 □

考える本 □

ヤバイ本 □

泣ける本 □

感想・あらすじ

No.　書名

恋する本 □

著者名

出版社

読了日

評価 ☆☆☆☆☆

シビレル本 □

感想・あらすじ

考える本 □

ヤバイ本 □

泣ける本 □

No.　　　　書名

著者名

出版社

読了日

評価　☆☆☆☆☆

恋する本 □

シビレル本 □

考える本 □

ヤバイ本 □

泣ける本 □

感想・あらすじ

No.　　　　書名

著者名

出版社

読了日

評価　☆☆☆☆☆

恋する本 □

シビレル本 □

考える本 □

ヤバイ本 □

泣ける本 □

感想・あらすじ

No.　　　　書名

恋する本 □

シビレル本 □

考える本 □

ヤバイ本 □

泣ける本 □

著者名

出版社

読了日

評価 ☆☆☆☆☆

感想・あらすじ

No.　　　　書名

恋する本 □

著者名

出版社

読了日

評価 ☆☆☆☆☆

シビレル本 □

感想・あらすじ

考える本 □

ヤバイ本 □

泣ける本 □

No.　　　　書名

著者名

出版社

読了日

評価　☆☆☆☆☆

感想・あらすじ

恋する本 □

シビレル本 □

考える本 □

ヤバイ本 □

泣ける本 □

No.　　書名

著者名

出版社

読了日

評価　☆☆☆☆☆

恋する本 □

シビレル本 □

考える本 □

ヤバイ本 □

泣ける本 □

感想・あらすじ

No.　　　　書名

著者名

出版社

読了日

評価 ☆☆☆☆☆

恋する本 □

シビレル本 □

考える本 □

ヤバイ本 □

泣ける本 □

感想・あらすじ

No.　　書名

著者名

出版社

読了日

評価

感想・あらすじ

恋する本 □

シビレル本 □

考える本 □

ヤバイ本 □

泣ける本 □

No.　　　　書名

著者名

出版社

読了日

評価　☆☆☆☆☆

感想・あらすじ

恋する本 □

シビレル本 □

考える本 □

ヤバイ本 □

泣ける本 □

No.　　　　書名

著者名

出版社

読了日

評価　☆☆☆☆☆

感想・あらすじ

恋する本 □

シビレル本 □

考える本 □

ヤバイ本 □

泣ける本 □

No.　　　　書名

恋する本 □

シビレル本 □

考える本 □

ヤバイ本 □

泣ける本 □

著者名

出版社

読了日

評価 ☆☆☆☆☆

感想・あらすじ

No.　　　　書名

恋する本 □

著者名

出版社

読了日

評価　☆☆☆☆☆

シビレル本 □

感想・あらすじ

考える本 □

ヤバイ本 □

泣ける本 □

No.　　　　　　　　書名

著者名

出版社

読了日

評価 ☆☆☆☆☆

恋する本 □

シビレル本 □

考える本 □

ヤバイ本 □

泣ける本 □

感想・あらすじ

No.　　　　書名

著者名

出版社

読了日

評価　☆☆☆☆☆

感想・あらすじ

恋する本 ☐

シビレル本 ☐

考える本 ☐

ヤバイ本 ☐

泣ける本 ☐

No.　　　　　書名

著者名

出版社

読了日

評価　☆☆☆☆☆

恋する本 □

シビレル本 □

感想・あらすじ

考える本 □

ヤバイ本 □

泣ける本 □

No.　　　　書名

著者名

出版社

読了日

評価　☆☆☆☆☆

恋する本 □

シビレル本 □

考える本 □

ヤバイ本 □

泣ける本 □

感想・あらすじ

No. 書名

著者名

出版社

読了日

評価 ☆☆☆☆☆

恋する本 □

シビレル本 □

考える本 □

ヤバイ本 □

泣ける本 □

感想・あらすじ

No.　　書名

著者名

出版社

読了日

評価　☆☆☆☆☆

恋する本 ☐

シビレル本 ☐

考える本 ☐

ヤバイ本 ☐

泣ける本 ☐

感想・あらすじ

No.　　　　　書名

恋する本 □

シビレル本 □

考える本 □

ヤバイ本 □

泣ける本 □

著者名

出版社

読了日

評価　☆☆☆☆☆

感想・あらすじ

No.　　　書名

著者名

出版社

読了日

評価　☆☆☆☆☆

感想・あらすじ

恋する本 □

シビレル本 □

考える本 □

ヤバイ本 □

泣ける本 □

No.　　　　書名

恋する本 □

シビレル本 □

考える本 □

ヤバイ本 □

泣ける本 □

著者名

出版社

読了日

評価 ☆☆☆☆☆

感想・あらすじ

No.　　　　　　書名

著者名

出版社

読了日

評価　☆☆☆☆☆

恋する本 □

シビレル本 □

考える本 □

ヤバイ本 □

泣ける本 □

感想・あらすじ

No.　　　　書名

著者名

出版社

読了日

評価　☆☆☆☆☆

恋する本 □

シビレル本 □

考える本 □

ヤバイ本 □

泣ける本 □

感想・あらすじ

No.　　　　書名

著者名

出版社

読了日

評価　☆☆☆☆☆

恋する本 □

シビレル本 □

考える本 □

ヤバイ本 □

泣ける本 □

感想・あらすじ

No.　　書名

著者名

出版社

読了日

評価 ☆☆☆☆☆

恋する本 □

シビレル本 □

考える本 □

ヤバイ本 □

泣ける本 □

感想・あらすじ

## ― この本の使い方 ―

### 1. 読んだ本を「きろく」しましょう。

書名、著者名、出版社、読了日の項目を埋めて、自分だけの読書史を作りましょう。使い方は無限大！ すべてのページが埋まったら100冊分の記憶が詰まった特別な一冊が完成します。

**●読んだ順番通りに記録する**

まずは今年の一冊目から。日記のように、読み終えた順に書き込む「読書のきろく」

**●「新潮文庫の100冊」全作読破を目指す**

全部読めたらスゴイ！ 毎夏恒例「100冊」の読破に挑戦して「チャレンジのきろく」

**●好きな作家の作品を集める**

この人の作品が好き！を集めてオリジナルファンブックをつくる「作家のきろく」

**●詳しく語れる得意分野をつくる**

「ミステリー」「時代小説」「エッセイ」などジャンル毎に分けて「○○のきろく」

## 2. 心に残った文章や、考えたこと、思いついたことも書いてみましょう。

「この本、読んだことあったっけ?」「ずいぶん前に読んだから、どんな話か忘れちゃった」。そんなとき、あらすじやお気に入りの一行がメモしてあると便利です。

## 3. 本の写真を貼りましょう。

「新潮文庫の100冊」小冊子に掲載されている書影を切り取って使えます。カバーの画像は「100冊」公式サイトからダウンロードすることも可能です。もちろん、自分で絵を描いてもOKです。

## 4. 使い方はあなた次第です。

コミックや雑誌の表紙を載せて小説以外の読書体験を記録したり、お店でもらうカードと一緒にレストランや食べ歩きで得たグルメ情報を書き留めたり、スポーツ観戦や音楽ライブ、映画、絵画、落語鑑賞などのチケットを貼って思い出をまとめたり……イロイロな「きろく」にも応用できます。

# ほんのきろく

新潮文庫　ん－100－1

令和三年七月一日発行
令和五年八月三十日二刷

名前

企画　新潮文庫編集部

発行者　佐藤隆信

発行所　株式会社新潮社

郵便番号　一六二―八七一一
東京都新宿区矢来町七一
電話 編集部(〇三)三二六六―五四四〇
読者係(〇三)三二六六―五一一一
https://www.shinchosha.co.jp

価格はカバーに表示してあります。

乱丁・落丁本は、ご面倒ですが小社読者係宛ご送付ください。送料小社負担にてお取替えいたします。

印刷・大日本印刷株式会社　製本・加藤製本株式会社

ISBN978-4-10-103031-9 C0100